CB053702

Editora Vida
Rua Conde de Sarzedas, 246 — Liberdade
CEP 01512-070 — São Paulo, SP
Tel.: 0 xx 11 2618 7000
atendimento@editoravida.com.br
www.editoravida.com.br
@editora_vida /editoravida

Editor geral: Joan G. Angurell
Editor responsável: Marcelo Smargiasse
Editor assistente: Gisele Romão da Cruz
Revisão: Marcelo Smargiasse

MINHA PRIMEIRA BÍBLIA

■

Histórias contadas por Joan G. Angurell
Ilustrações por Jonatan Mira Bertral
jonatan.mira@gmail.com
Layout e design gráfico por Latido Creativo
info@latidocreativo.com

Todas as citações bíblicas e de terceiros foram adaptadas segundo o Acordo Ortográfico da Língua Portuguesa, assinado em 1990, em vigor desde janeiro de 2009.

■

1. edição: set. 2016
1ª reimp.: nov. 2023

Dados Internacionais de Catalogação na Publicação (CIP)
(Câmara Brasileira do Livro, SP, Brasil)

Angurell, Joan G.
Minha primeira Bíblia / Joan G. Angurell ; ilustrações por Jonatan Mira Bertral ; tradução Abba Press. -- Sao Paulo : Editora Vida, 2016.

Título original: Bíblia Abba para niños.
ISBN 978-85-383-0341-1

1. Histórias bíblicas 2. Literatura infantojuvenil I. Bertral, Jonatan Mira. II. Título.

16-04646 CDD-028.5

Índice para catálogo sistemático:

1. Bíblia : Histórias : Literatura infantojuvenil 028.5

Para:

De:

Data:

Para *Blanca e Anna,*
Sua ilusão e seu sorriso ao contar cada noite uma porção deste maravilhoso livro para vocês inspiraram este projeto.

Sumário

Aos pais

Não, não é um simples livro. É o LIVRO.

A Bíblia é, tem sido e será o livro com maior influência na história da humanidade. Nenhum outro livro já contribuiu de forma tão notável como a Bíblia sobre as artes, a cultura e a sociedade ocidental em geral.

Esta coleção de histórias bíblicas que você tem nas mãos pretende conduzir a uma aproximação simples, porém eficaz, dos principais ensinamentos e narrativas da Bíblia aos pequenos leitores.

Separe um tempo para estar com eles e explicar as histórias que encontrarão neste livro. Leiam juntos. Nesta Bíblia você encontrará perguntas ao final de cada história que servirão para iniciar um diálogo com a criança sobre a história lida.

A Bíblia é o livro mais extraordinário que foi escrito. O livro que Deus deu aos homens e que narra a história da salvação. Esperamos que seu filho possa desfrutar desta incrível aventura que Deus dá a você.

Joan G. Angurell

MINHA PRIMEIRA
Bíblia VIDA

A você, pequeno leitor

Você gosta de aventuras?

Então segure firme, porque você está prestes a experimentar a maior aventura da sua vida.

Nestas páginas você descobrirá como foi criado o mundo. Encontrará cobras malvadas, navegará em navios gigantes cheios de animais, cavalgará sobre camelos em meio a pirâmides, conhecerá terras de onde manam leite e mel, contemplará faraós e princesas, observará dez pragas devastando magníficos templos, verá pequenos pastores matando horrendos gigantes e conhecerá reis sábios que praticam justiça. E também gente má, muito má. Conhecerá o que é de fato a amizade e o amor. Verá milagres, carros de fogo e leões famintos numa cova escura e assustadora. Peixes enormes que comem pessoas para logo cuspi-las.

E, mais importante... Conhecerá Jesus de Nazaré, o Filho de Deus que veio dar nova esperança ao mundo. Contemplará o seu nascimento num presépio e o verá crescer, ser justo e bom com todos, realizar milagres e contar histórias maravilhosas. E verá o que ele fez por você: o maior dos favores que uma pessoa poderia ter feito por você.

Mas não vou contar mais...

Para viver todas essas aventuras, você terá de passar pelas páginas deste livro e entrar em suas maravilhosas histórias.

MINHA PRIMEIRA
Bíblia VIDA

O Antigo Testamento

O Antigo Testamento

é a primeira parte da Bíblia.

Nele conhecemos como Deus criou o mundo e tudo o que há nele: O Sol, a Lua, as estrelas, os mares, as árvores e todos os animais. E, sim, também criou as pessoas como você e eu.

Você sabia que ele criou o homem como um ser perfeito? Mas o homem desobedeceu a Deus, e a partir de então as coisas foram de mal a pior.

Nos livros do Antigo Testamento você conhecerá a história de Noé e da Torre de Babel. Saberá quem foram os patriarcas e será apresentado a um jovem que tinha sonhos que se cumpriam. Conhecerá um faraó muito malvado e aprenderá sobre como Deus usou um homem chamado Moisés para libertar o seu povo da escravidão.

Um jovem pastor se tornará em rei, não sem antes vencer um terrível gigante.

Você contemplará os milagres dos profetas Elias e Eliseu, e um homem que preferiu ser devorado por feras a desobedecer a Deus.

E muitas e muitas outras histórias que você descobrirá em breve se continuar lendo.

O primeiro dia

(Gênesis 1.1-2)

No princípio só existia escuridão e a terra estava vazia. Mas Deus iria fazer algo maravilhoso!

Você consegue imaginar como era antes de Deus criar o mundo e o Universo?

O primeiro dia

(Gênesis 1.3-5)

No primeiro dia,
Deus separou
a luz da escuridão.
E chamou a luz "dia" e
a escuridão, "noite".

Você sabia que foi Deus quem criou a luz?

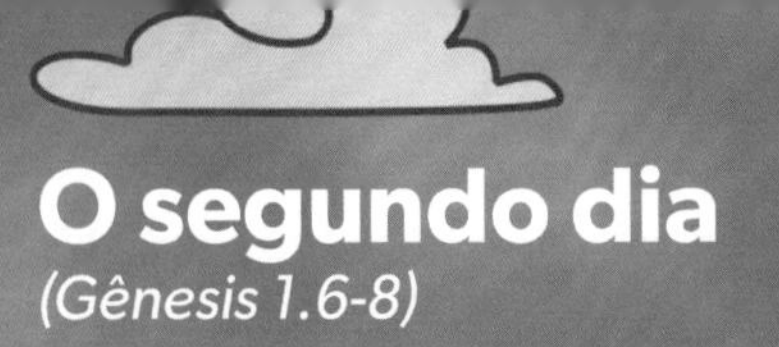

O segundo dia

(Gênesis 1.6-8)

No segundo dia, Deus
fez uma grande expansão
e chamou esse espaço "céu".

Você gosta de olhar para o céu?
Deus o criou para você!

O terceiro dia

(Gênesis 1.9-13)

No terceiro dia,
Deus criou os mares,
as montanhas,
as árvores, as ervas,
as flores e as praias.

A próxima vez que você for à praia ou a um rio, lembre-se de que foi Deus quem o fez.

O quarto dia

(Gênesis 1.14-19)

No quarto dia, Deus estabeleceu o Sol para o dia e a Lua e as estrelas para a noite.

Quando anoitecer, olhe pra o céu. Você consegue enxergar alguma estrela? Há muitas delas! Deus as fez com suas próprias mãos.

O quinto dia

(Gênesis 1.20-23)

No quinto dia, Deus colocou no céu toda espécie de pássaros!

E nos mares, peixes, baleias, tubarões e tartarugas.

Dos animais que há no céu e no mar, qual é o seu favorito?

O sexto dia

(Gênesis 1.24-31)

E no sexto dia, Deus criou os animais da terra:

Ursos, macacos, girafas, coalas, roedores... Tudo Deus fez!

E os animais que há na terra, de qual você gosta mais?

Deus cria o homem

E finalmente, também no sexto dia, Deus criou o primeiro homem que chamou Adão e de sua costela criou a primeira mulher, chamada Eva.

Como você imagina que eram Adão e Eva?

Adão e Eva

(Gênesis 2.1-5)

Deus colocou Adão e Eva no meio do jardim do Éden junto com toda a criação. E Deus viu que tudo o que havia feito era bom. Então, no sétimo dia Deus descansou.

Como você acha que devia ser o jardim do Éden?

A árvore proibida

(Gênesis 2.16-17)

Deus disse para Adão e Eva que eles podiam comer de qualquer fruto do jardim do Éden, menos o de uma árvore que se chamava "árvore do conhecimento do bem e do mal". Dessa árvore não deviam comer ou aconteceriam coisas muito ruins!

Você acha que Adão e Eva obedeceram a Deus?

O engano da serpente

(Gênesis 3.1-5)

Mas o Diabo,
que era muito mau,
se disfarçou de serpente
e disse para Eva: Coma do fruto
da árvore proibida, porque não
vai acontecer nada a você!

Era verdade o que a serpente disse?

Uma decisão trágica

(Gênesis 3.6-19)

Adão e Eva desobedeceram a Deus e comeram do fruto que Deus havia proibido. Que grande erro!

Você sabia que desobedecer a Deus sempre traz graves consequências?

Quando Deus os chamou, sentiram muita vergonha, porque eles sabiam que haviam feito algo errado, muito errado.

Como você acha que Deus se sentiu quando Adão e Eva não lhe obedeceram?

Expulsos

(Gênesis 3.8-24)

Deus ficou triste e como ele é justo, teve de expulsar Adão e Eva do jardim do Éden. A partir desse momento eles sofreriam muito separados de Deus.

Você sabia que sempre que desobedecemos a Deus, ele fica muito triste?

Noé no meio de gente má
(Gênesis 6.1-8)

Passado um tempo, as pessoas na terra tinham ficado muito más, mas existia um homem que se chamava Noé que era muito bom e estava muito preocupado com essa situação.

Como Noé se sentia no meio de gente tão má?

Construindo um grande barco

(Gênesis 6.9-16)

O que você faria se Deus mandasse você construir um grande barco?

Deus mandou Noé construir um grande barco. E Noé assim fez. As pessoas más riam dele e diziam que ele estava ficando maluco, porque ali não havia nenhum mar ou rio para navegar.

Dois animais de cada vez

(Gênesis 6.17-22; 7.14-16)

E quando terminou de
construir a arca,
Deus pediu a Noé
que incluísse nela
dois animais
de cada espécie.

Você pode imaginar o tamanho da arca para abrigar tantos animais?

O grande dilúvio

(Gênesis 7.17,18)

Você teria gostado de estar dentro da arca?

E quando Noé com a sua família e os animais
— dois de cada — estavam, por fim, dentro
da arca, o céu começou a escurecer e a ficar
cheio de nuvens. E choveu, choveu
como nunca antes havia chovido ou
depois voltaria a chover.

Só havia água!

(Gênesis 7.19-24)

E choveu tanto, que toda a terra ficou inundada, e só conseguiram se salvar os que estavam na arca. Choveu durante 40 dias e 40 noites. Mas dentro da arca todos estavam seguros.

O que faziam tantos animais dentro da arca durante 40 dias?

A pomba

(Gênesis 8.8-14)

Depois de 40 dias, Noé soltou uma pomba para ver se em algum lugar a terra já estava seca.

E a pomba voltou com um galho de oliveira! As plantas cresciam de novo! Já havia terra seca!

Você acha que Noé ficou contente quando viu a pomba voltando com um galho de oliveira?

Saindo da arca

(Gênesis 8.15-22; 9.8-17)

E a arca chegou a um monte e Noé, sua família e todos os animais saíram dela.
E Deus fez um pacto com Noé: não haveria outro dilúvio. E pôs no céu um arco-íris para confirmar isso.
Você já viu um arco-íris alguma vez? Cada vez que você vir, lembre-se da história de Noé!

A grande torre
(Gênesis 11.1-8)

Anos mais tarde, o mundo todo falava a mesma língua e numa cidade chamada Babel, os homens quiseram construir uma torre muito alta para se tornarem famosos.

Você acha que os homens de Babel erraram ao desejar construir uma torre tão alta?

Mas Deus ficou irado e fez que os
homens falassem línguas diferentes
e, como não se compreendiam,
começaram a brigar e não
conseguiram terminar a torre.
Você conhece gente
que fala muitos idiomas?

Abraão foi um homem bom e Deus o chamou de amigo

(Gênesis 12—22)

Deus prometeu que sua família seria mais numerosa que as estrelas do céu e que toda a areia do mar.

Você quer conhecer melhor esta história?

Abraão sai da sua terra

(Gênesis 12.1-5)

Deus mandou Abraão sair de sua terra, porque iria levá-lo para um novo lugar. Então, Abraão foi embora com sua esposa, seu sobrinho Ló e seus trabalhadores.

Você sabia que Abraão saiu do meio do seu povo porque Deus disse que daria uma terra melhor para ele?

A terra prometida

(Gênesis 13.14-15)

Abraão chegou a uma terra que se chamava Canaã e Deus disse que toda aquela terra seria dele e de sua família.

Como você imagina que era a terra que Deus deu a Abraão?

Abraão e Ló se separam

(Gênesis 13.1-18)

Abraão e seu sobrinho decidiram se separar. Cada um iria por um caminho diferente para não haver brigas entre eles.

Você acha que Abraão e Ló fizeram bem ao se separarem?

O filho que não chega

(Gênesis 15.1-3)

Abraão estava preocupado.
Deus lhe havia prometido
uma grande família.
Mas ele já era velho
demais e não tinha
ainda nenhum filho!

Como poderia ter uma grande família se não tinha filhos?

Os três visitantes misteriosos

(Gênesis 18.1-8)

Um dia, enquanto Abraão estava sentado na sua tenda, chegaram três pessoas muito especiais para visitá-lo, e Abraão deu-lhes de comer.

Quem são esses três homens especiais?

A grande notícia

(Gênesis 18.9-15)

Quando terminaram de comer, um dos homens diz a Abraão que ele e Sara teriam um bebê. E Sara riu muito quando ouviu isso. Eles eram muito velhos!

Você sabia que para Deus não há impossíveis?

Nasce Isaque

(Gênesis 21.1-7)

Mas as promessas de Deus sempre se cumprem. E um ano depois nasceu um bebê e lhe deram o nome de Isaque, que significa "rir". Essa criança faria que Abraão fosse o pai de uma grande nação!

Você sabia que tudo o que Deus promete se cumpre?

Rebeca
(Gênesis 24.1-20)

Quando Isaque já estava mais velho, Abraão mandou um criado para buscar uma esposa para o seu filho dentre o seu povo.
O criado achou a menina perfeita para Isaque, dando de beber aos seus camelos, e ela se chamava Rebeca.

Rebeca ajudou o criado de Abraão. Você já ajudou outras pessoas? Como?

Isaque e Rebeca se casam

(Gênesis 24.62-67)

Você acha que Rebeca estava contente ao casar-se com Isaque?

Isaque pediu para Rebeca se casar com ele e Rebeca aceitou. E tiveram dois filhos gêmeos: Esaú, o mais velho, e Jacó, o mais novo.

Um ensopado pela herança

(Gênesis 25.27-34)

Muitos anos depois, quando já estavam grandes, Esáu voltou da caçada com muita fome e Jacó disse que daria a ele um ensopado em troca dos direitos de filho mais velho. E Esaú tinha tanta fome que aceitou.

Você acha que Esaú foi esperto ao trocar seus direitos de filho mais velho por comida?

O grande erro de Esaú

(Gênesis 27.1-37)

Depois de um tempo, Esaú percebeu que tinha cometido um grande erro. Jacó ficou, então, com tudo o que deveria ter sido do irmão mais velho! Esaú ficou muito bravo e Jacó teve de fugir para bem longe.

Você acha certo que Esaú tenha ficado tão bravo?

A escada de Jacó

(Gênesis 28.10-18)

Jacó teve de dormir muitas noites no deserto, usando pedras como almofadas. Uma noite, Jacó sonhou com uma escada muito alta com muitos anjos subindo e descendo por ela. Deus disse que o ajudaria em tudo.

Você sabia que Deus sempre está disposto a ajudar você em tudo?

A luta com Jacó

(Gênesis 32.22-32)

Em outra ocasião,
um anjo de Deus apareceu
a Jacó e lutou com ele.

Você sabia que Jacó ficou manco depois de lutar com o anjo de Deus?

José, o sonhador

(Gênesis 37.1-8)

Você tem irmãos? Como eles se chamam?

Jacó teve doze filhos. Mas dos doze o preferido era José. José tinha sonhos que depois se cumpriram. Uma noite, José teve um sonho em que seus irmãos se ajoelhavam diante dele, mas quando contou o sonho, seus irmãos se enfureceram.

A túnica de José

(Gênesis 37.3-4)

Um dia, Jacó deu de presente a José uma túnica toda colorida.
Seus irmãos sentiram muita inveja.
Por que Jacó dava presentes somente para José?

Os irmãos invejosos

(Gênesis 37.18-22)

E a inveja era tanta que pensaram até em matá-lo. Mas, no final, pensaram em outro plano. Quando José foi se encontrar com eles...

Você sabe o que é inveja?
É bom sentir inveja?

Vendem José

(Gênesis 37.21-28)

Você imagina quão triste José ficou dentro daquele poço?

Depois o tiraram do poço para vendê-
-lo a uns comerciantes de escravos
que o levaram até o Egito. Os irmãos
de José disseram ao seu pai que um
animal o tinha comido.

O que será que vai acontecer com José?

Potifar compra José

(Gênesis 37.36)

Um homem egípcio que se chamava Potifar comprou José para que ele fosse escravo em sua casa.

Você acha justo o que estava acontecendo com José?

José é preso injustamente

(Gênesis 39.6-20)

E José foi tão bom com Potifar que foi nomeado chefe de todos os seus negócios. Mas a mulher de Potifar mentiu, dizendo que José havia feito uma coisa muito ruim.

Você gosta que digam mentiras sobre você?

Potifar ficou furioso e fez que prendessem José. Pobre José! Ele era totalmente inocente!

Você sabia que ainda que José estivesse passando por um momento difícil, Deus tinha um plano para ele?

Um sonho ruim

(Gênesis 40.16-22)

Na prisão, José interpretou o sonho de dois companheiros. A um padeiro, que sonhou que pássaros comiam o pão que estava em um cesto sobre sua cabeça, José lhe diz que esse sonho era ruim e que ele iria morrer. José disse a verdade.

Um sonho bom

(Gênesis 40.16-18)

O copeiro do rei também tinha tido um sonho, mas um sonho bom, e José lhe disse que voltaria em breve servir o faraó. E José pediu para que, quando isso acontecesse, se lembrasse dele.

Você acha que o copeiro ficou feliz com essa notícia?

O sonho do faraó

(Gênesis 4.1-36)

Nesse tempo, o faraó teve um sonho muito esquisito: sete vacas magras comiam sete vacas gordas. E ninguém conseguia saber o significado do sonho.

Mas José explicou ao faraó o significado do sonho: haveria sete anos de muita comida e logo viriam sete anos sem comida e de muita pobreza.
Quem dava a José o poder para interpretar os sonhos?

José, o segundo líder do Egito

(Gênesis 3.6-19)

O faraó ficou tão contente ao ouvir isso que nomeou José como a segunda pessoa mais importante em todo o Egito e deu a José um anel que só se dá aos reis.

Você percebe que Deus tinha um plano para José?

O faraó guardou comida durante os sete anos de riqueza para que não houvesse fome no Egito nos sete anos de pobreza.

Os irmãos de José vão buscar comida no Egito

(Gênesis 3.8-24)

O que acontecerá quando os irmãos de José se encontrarem com ele no Egito?

Durante os sete anos de pobreza, a família de José, que estava longe do Egito, passou muita fome. Tanta fome passaram que dez irmãos de José foram buscar comida no reino do faraó. Jacó ficou esperando em casa junto com o seu filho mais novo, Benjamim.

Os irmãos de José se ajoelham diante dele

(Gênesis 42.6-7)

Você percebe que o sonho de José estava se cumprindo? Todos os irmãos se prostrando diante dele!

Os irmãos chegaram ao Egito e pediram comida ao ajudante do faraó. Era José, o irmão deles, a quem tinham feito mal! Mas não o reconheceram. Ajoelharam-se para suplicar que ele lhes desse alguma coisa para comer.

José se revela

(Gênesis 45.1-8)

Quando o ajudante do faraó se revelou e seus irmãos descobriram que era José, ficaram muito surpresos e tiveram medo de que José quisesse castigá-los pelo que tinham feito. Mas, na verdade, José tinha perdoado o que fizeram.

Você sabia que sempre temos de perdoar quando alguém nos faz mal?

José e Jacó se reencontram

(Gênesis 45.9-15)

José pediu aos seus irmãos que trouxessem seu pai Jacó e seu irmão Benjamim. Assim eles fizeram.

Você imagina como Jacó ficou feliz ao ver José?

Um faraó cruel

(Êxodo 1.8-14)

Muito tempo se passou depois que José morreu, e um faraó malvado fez que todos os hebreus fossem escravos. Ele os tratava muito mal e fazia que trabalhassem em condições horríveis.

Por quê você acha que o novo faraó era tão mau?

O bebê Moisés

(Êxodo 1.22-2.4)

Ele era tão mau que decidiu que todos os bebês meninos hebreus que nascessem fossem mortos. Assim, o exército egípcio começou a procurar por todos os bebês para matá-los. Que coisa terrível!

Uma mulher hebreia teve um filho que chamou de Moisés. Mas ela estava muito preocupada! Se os homens do faraó o descobrissem, certamente o matariam! Assim, decidiu salvá-lo, colocando-o numa cesta no rio.

O que você acha que acontecerá com o bebê no rio?

A princesa cuida do bebê

(Êxodo 2.5-10)

E a cesta com o bebê foi descendo pelo rio, até que chegou a um lugar onde a filha do faraó estava tomando banho. A princesa ficou muito triste ao ver o bebê assim e decidiu ficar com ele e criá-lo.

O que você faria se achasse um bebê em um rio?

E Moisés foi crescendo
no palácio, aprendendo
muito com os melhores
professores do Egito.
Você vai à escola? Você sabia que é
muito importante aprender?

Moisés foge

(Êxodo 2.11-25)

E Moisés ficou adulto. Ele ficava muito bravo quando via que os homens do faraó tratavam tão mal o seu povo. Um dia, ele se cansou disso e acabou fazendo uma coisa muito má para um egípcio. Como várias pessoas o viram, ele teve de fugir para que não o prendessem e o matassem.

Para onde será que Moisés foi?

A sarça ardente
(Êxodo 3.1-15)

Moisés viveu muito tempo no deserto, até que um dia apareceu-lhe uma sarça ardente. A sarça pegava fogo, mas não se queimava! O que seria isso? Era Deus que falava a Moisés e ele disse que Moisés devia voltar ao Egito e libertar o seu povo!

O que você faria se visse uma sarça ardente?

Moisés e Arão diante do faraó

(Êxodo 5.1-5)

Moisés e seu irmão Arão foram ver o faraó para que deixasse o povo de Israel ir embora para sua terra. Mas o faraó não permitiu. Moisés o advertiu de que se não os libertasse aconteceriam coisas muito ruins com ele. Mas o faraó não escutou.

Por quê você acha que o faraó não quis ouvir Moisés e Arão?

As cinco primeiras pragas

(Êxodo 7.14—9.7)

As coisas ruins começaram a acontecer! Primeiro, a água do rio se transformou em sangue. Depois aconteceu uma praga de rãs. Em seguida, veio uma praga de piolhos que picavam todo mundo e, logo, muitas moscas. Até todo o gado do Egito morreu! Por isso, imagine como o faraó era orgulhoso e cabeça-dura para que nem mesmo com todas essas pragas libertasse o povo de Deus!

Por que o faraó era tão cabeça-dura?

Mais pragas!

(Êxodo 9.8—11.10)

Assim que Deus enviou as pragas aos egípcios, muitas feridas apareceram no corpo deles. Depois, caiu granizo do céu, o que também os feriu. Então, gafanhotos destruíram os campos e o céu ficou tão escuro que não se via nada. Nem mesmo assim o faraó deixou o povo de Israel ir embora! Finalmente, a última das pragas foi a mais dura: todos os filhos mais velhos dos egípcios morreram, até mesmo o filho do faraó.

Quantas pragas caíram no total sobre o Egito?

O povo de Deus vai embora do Egito

(Êxodo 13.6-19)

Vendo todas essas desgraças, o faraó disse a Moisés e Arão que podiam ir embora junto com o seu povo.

Você acha que Moisés ficou feliz quando o faraó os deixou partir?

Então Moisés saiu com todo o seu povo do Egito a caminho de sua terra. Saíram muitas pessoas com os seus animais e estavam muito felizes porque tinham sido libertos!

Você sabe quantas pessoas saíram do Egito com Moisés? 600 mil, sem contar as crianças!

Os carros do faraó

(Êxodo 14.5-14)

Mas o faraó se arrependeu de ter deixado Moisés e seu povo ir embora do Egito. Assim, tomou seus melhores carros e cavalos e os perseguiu.

Quando chegaram diante do mar Vermelho, os hebreus viram que os carros do faraó os perseguiam. Que horror! Não tinham alternativa! De um lado o mar e do outro os temíveis egípcios! Então se irritaram com Moisés por os ter levado até ali.

Você também ficaria bravo com Moisés?

As águas se dividem
(Êxodo 14.15-31)

Mas Deus tinha o plano perfeito. Ordenou que Moisés levantasse sua mão sobre o mar... E o mar se abriu, ficou dividido e formou um caminho pelo qual os hebreus podiam passar! Eles atravessaram o mar, mas quando os homens do faraó ainda estavam no meio do caminho, o mar voltou ao seu lugar e os egípcios se afogaram.

Ainda que às vezes pareça que não há saída para os seus problemas, você sabia que Deus sempre tem uma solução?

Os Dez Mandamentos

(Êxodo 20)

Depois de uns dias, Deus pediu a Moisés que subisse um monte que se chamava Sinai, e ali lhe deu umas tábuas com dez mandamentos. Eram as normas básicas que todos deviam cumprir se quisessem que Deus estivesse contente com eles.

Você conhece algum dos dez mandamentos?

40 anos no deserto

(Números 14.26-35)

Mas os israelitas não cumpriram as leis, não paravam de se queixar e não confiavam em Deus. Então, Deus os castigou fazendo que dessem voltas no deserto durante quarenta anos.

Você se queixa muito quando as coisas não saem como esperava? Você acha que isso é bom?

Um homem corajoso

(Josué 1.1-9)

Quando Moises morreu, Josué foi encarregado de substituí-lo como líder do povo. Deus lhe pediu que fosse forte e muito corajoso. E Josué assim fez! Ele foi o líder do povo que fez os israelitas entrarem em sua terra. Demonstrou confiança em Deus e muita valentia em todo momento.

Você é corajoso?

Josué e o povo entraram na terra que Deus havia dado a eles. Nessa terra viviam povos muito maus, mas, com a ajuda de Deus, os israelitas venceram.

Em uma ocasião, chegaram a um povoado que tinha muros muito altos e que todos pensavam que nunca seria derrotado. A cidade se chamava Jericó. Mas Josué teve fé, e Deus lhe explicou o que tinha de fazer para derrubar os muros dessa cidade.

Você imagina como eram altos os muros de Jericó?

A queda dos muros de Jericó

(Josué 6.1-27)

Deus disse que precisavam dar uma volta ao redor do muro durante seis dias e que, no sétimo dia, deviam dar sete voltas.

enquanto os sacerdotes tocavam as trombetas e o povo gritava. E assim fizeram. Na sétima volta que o povo deu, os muros caíram.

Deus tinha dado a vitória aos israelitas!

Você imagina como os israelitas ficaram felizes ao verem os muros cair?

Rute e Noemi

(Rute 1)

Sabia que os amigos sempre estão ao seu lado, ainda que passe momentos difíceis?

Noemi era uma mulher israelita que vivia em uma terra chamada Moabe. Seus filhos se casaram com duas mulheres dali: Orfa e Rute. Mas os filhos de Noemi morreram! E Noemi decidiu voltar a sua terra. Orfa quis ficar em Moabe, mas Rute disse que aonde Noemi fosse ela iria. Desse modo, Rute a acompanhou até Israel.

As espigas de Boaz

(Rute 2)

Rute e Noemi não tinham muito dinheiro, por isso Rute foi pegar espigas no campo de um familiar de Noemi que se chamava Boaz. Noemi acreditava que Boaz seria um bom marido para Rute, e então pensou num plano para que se casassem.

Você acha que Rute e Boaz se casam ao final?

O casamento

(Rute 3—4)

O plano funcionou! Boaz e Rute se casaram!
E tiveram um filho que se chamou Obede...
Obede seria o avô do rei mais importante e
bondoso de Israel: o rei Davi.

Você quer conhecer essa história?
Então continue lendo...

Davi: um bom pastor

(1Samuel 16.11)

Davi era um jovem pastor que se dedicava a cuidar das ovelhas. Era tão bom que, quando se aproximava um urso ou um leão, defendia as ovelhas lançando pedras com sua funda!

Você se esforça para fazer o seu trabalho da melhor forma possível? Até mesmo as lições da escola de que você não gosta muito?

O futuro rei

(1Samuel 16.1-13)

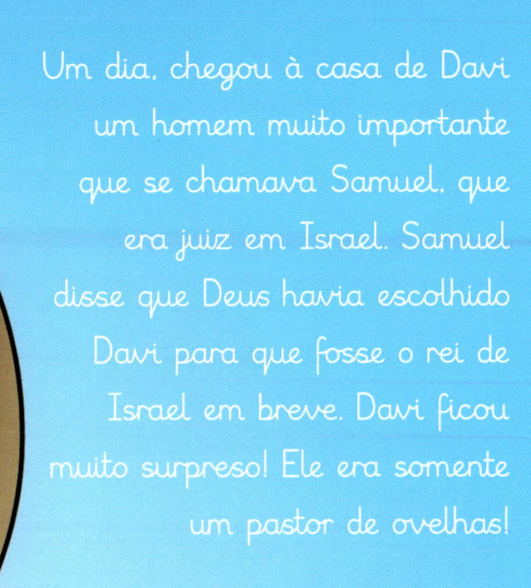

Um dia, chegou à casa de Davi um homem muito importante que se chamava Samuel, que era juiz em Israel. Samuel disse que Deus havia escolhido Davi para que fosse o rei de Israel em breve. Davi ficou muito surpreso! Ele era somente um pastor de ovelhas!

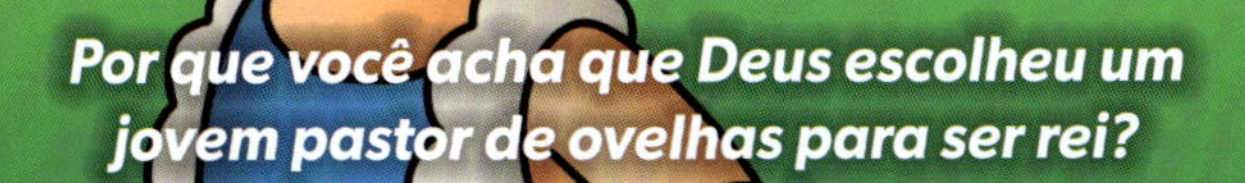

Por que você acha que Deus escolheu um jovem pastor de ovelhas para ser rei?

Um gigante que assusta

(1Samuel 17.1-24)

Havia nessa época uns vizinhos dos israelitas que eram muito maus. Eram os filisteus, e eles provocavam muitas guerras contra os israelitas. No exército dos filisteus havia um homem muito grande e forte, a quem chamavam de gigante Golias. Era tão alto e feroz que nenhum dos israelitas se atrevia a lutar contra ele.

Você teria medo se um gigante quisesse brigar com você?

Davi e Golias

(1Samuel 17.25-58)

Mas Davi disse que lutaria contra o gigante. Golias riu muito dele, pois Davi era apenas um jovem e não levava nem escudo nem armas... só umas pedras e uma funda. Como ele iria enfrentar o gigante?

Mas Deus estava com Davi! E isso era o suficiente! Davi pegou uma pedra e lançou com sua funda na cabeça de Golias. E o gigante caiu no chão, e Davi o matou.

O que você acha sobre o fato de que Davi foi corajoso ao enfrentar Golias? Você também teria feito isso?

Davi perseguido

(1Samuel 18—23)

Saul era o rei de Israel naquele tempo. E Davi ia tocar música na casa do rei, porque, às vezes o rei não se sentia muito bem e a música o tranquilizava. Mas Saul começou a ter muita inveja de Davi... e, um dia em que ele estava tocando, Saul atirou uma lança contra Davi e tentou matá-lo.

Davi fugiu para longe, mas os homens de Saul o perseguiram dia e noite. Deus, no entanto, protegia Davi e eles não conseguiram capturá-lo.

Por que Saul tentava matar Davi?

Dois amigos: Davi e Jônatas

(1Samuel 18.1-4)

Saul tinha um filho que se chamava Jônatas. Ele e Davi se tornaram muito amigos. Jônatas sabia que seu pai queria matar Davi e, por isso, o ajudou a fugir.

Pense nos seus amigos...
O que você mais gosta neles?

Rei Davi

(2Samuel 2.1-7; 5.1-5)

Finalmente, Davi foi rei de Israel. E, apesar de cometer muitos erros, foi um grande rei e Deus disse que Davi foi um homem conforme o coração de Deus... Isso significa que Deus ficou feliz com ele.

Davi foi paciente até poder ser rei. Você é paciente?

Um rei sábio

(1Reis 3.4-15)

Quando Davi morreu, seu filho Salomão tornou-se rei de Israel. Salomão queria ser um rei sábio e um dia orou a Deus para que lhe desse sabedoria.

E Deus escutou a oração e o tornou o homem mais sábio que havia na Terra.

Você sabia que, se você quiser algo, deve pedir a Deus?

De quem é este bebê?

(1Reis 3.16-28)

Um dia, duas mulheres se apresentaram a Salomão discutindo, porque as duas diziam que um bebê era seu. Salomão, então, decidiu que partiria a criança ao meio e daria metade para cada mulher. A mãe de verdade, horrorizada, gritou: "Não, isso nunca. Que a outra fique com ele!". E Salomão soube que aquela era a mãe verdadeira, porque uma mãe jamais permitiria fazer isso com o seu filho.

Você acredita que Salomão foi sábio ao resolver essa situação?

Uns reis muito maus

(1Reis 16.29-33)

Quando Salomão morreu, o reino de Israel se dividiu em dois: Judá e Israel. E, passado um tempo, chegaram em Israel uns reis muito maus, que se chamavam Acabe e Jezabel.

144

Sabia que muitos reis de Israel foram maus?

Elias dá uma péssima notícia

(1Reis 17.1)

Um profeta de Deus que se chamava Elias foi até o rei Acabe e disse que não haveria chuva por muito tempo. E Acabe ficou muito bravo!

Às vezes as pessoas dizem coisas de que não gostamos para nós para que aprendamos a nos comportar melhor. Você fica bravo quando dizem coisas que não quer ouvir?

Uns corvos que dão comida

(1Reis 17.1-6)

Elias fugiu para um riacho que se chamava Querite.
Mas ali não havia nada para comer.
E você sabe quem trazia comida para ele?
Os corvos que Deus enviava.

Você sabia que Deus cuida sempre de nós?

Uma viúva com fé

(1Reis 17.8-15)

Algum tempo depois não havia mais água no riacho e Deus ordenou a Elias que fosse visitar uma mulher. A mulher cozinhou para Elias, ainda que não tivesse muita comida. E como havia feito o bem para Elias, Deus fez que houvesse farinha e azeite para ela por muito tempo.

Você percebe que essa mulher confiou que Deus daria o que ela precisava se obedecesse Elias?

Fogo do céu

(1Reis 18.1-40)

Elias se propôs a demonstrar que o seu Deus era o único verdadeiro. Então, disse a todos os profetas de outro deus que fizessem um altar, e que ele faria também o seu. Sobre o altar que caísse fogo do céu seria o do verdadeiro Deus. Os profetas de Baal fizeram seu altar, mas nada aconteceu.

Porém, no altar construído por Elias caiu muito fogo!
O Deus de Elias era o verdadeiro Deus!
Você sabia que Deus tem poder para fazer qualquer coisa?

O manto de Elias

(1Reis 19.19-21)

Noutra ocasião, Elias encontrou um homem que se chamava Eliseu. Elias colocou seu manto sobre ele, o que significava que Eliseu seria seu ajudante e, depois, ocuparia seu lugar como profeta de Deus.

Você sabia que deve respeitar as pessoas mais velhas como fez Eliseu?

Um carro de fogo

(2Reis 2.1-12)

Um dia, Elias e Eliseu estavam caminhando juntos, e um grande carro de fogo com cavalos os separou um do outro, e um redemoinho levou Elias ao céu. Deus havia levado Elias ao céu. Imagine a cara que Eliseu fez quando viu tudo isso!

Elias subiu ao céu. Como você acha que aconteceu?

Quanto azeite!

(2Reis 4.1-7)

Uma mulher pediu ajuda a Eliseu. Seu marido havia morrido e ela possuía muitas dívidas, e queriam levar seus filhos como escravos, porque não tinha dinheiro para pagar. Mas Deus fez um milagre: fez que a mulher pudesse encher muitas vasilhas somente com azeite e pagar, assim, as pessoas a quem devia.

Às vezes nos preocupamos muito com coisas que acontecem conosco... Mas você sabia que Deus tem tudo sob controle?

Uma criança ressuscita

(2Reis 4.8-37)

Outra mulher veio chorando até Eliseu. Seu filho havia morrido. Eliseu orou na frente da criança, e o pequeno espirrou sete vezes e voltou à vida. Que extraordinário milagre Deus havia feito!

Você sabia que somente Deus pode dar vida às pessoas?

A cura de Naamã

(2Reis 5.1-14)

Um homem muito importante da Síria estava muito doente. Ele se chamava Naamã e foi ver Eliseu para saber se ele poderia curá-lo.

Eliseu lhe disse para que tomasse banho sete vezes no rio Jordão e, então, ele se curaria. Naamã achou estranha a ideia e não gostou, mas, finalmente, fez como o profeta ordenou. Você sabe o que aconteceu? Ele ficou curado completamente!

Você sabia que as pessoas mais importantes também precisam de Deus?

Uma rainha muito bonita

(Ester 1—2)

Durante muito tempo, o povo de Deus foi dominado pela Babilônia. Mais tarde, o rei da Pérsia dominou Babilônia. Havia ali uma mulher israelita muito bonita chamada Ester. Era tão bela que o poderoso rei decidiu que Ester seria sua esposa.

Você imagina como Ester era bonita?

Hamã contra os israelitas

(Ester 3)

Mas um dos homens de confiança do rei era muito cruel. Ele se chamava Hamã e queria matar todos os israelitas do reino.

Por que Hamã queria matar todos os israelitas?

Ester ajuda o seu povo

(Ester 4-9)

Ester soube o que Hamã queria fazer e ficou muito assustada. Não queria que nada de mal acontecesse com o seu povo! Embora soubesse que era arriscado, falaria com o rei para que ele não fizesse nada contra o seu povo.

Você acha que Ester faria alguma coisa para defender seu povo? Ou ficaria em silêncio?

Então Ester
suplicou ao rei
que não matasse
seu povo.
O rei a escutou
e libertou o povo
de Israel da
morte.
Você teria feito o mesmo que Ester?

A alimentação de Daniel

(Daniel 1)

Quando o povo de Deus foi levado para a Babilônia, havia entre eles um homem chamado Daniel. Junto com três amigos ele foi levado para servir ao rei. E ali lhes deram de comer coisas que os israelitas não podiam comer.

Daniel e seus amigos se negaram e comiam apenas o que Deus havia mandado... e, por causa disso, estavam ficando mais fortes que os outros.
O que os demais deviam pensar ao verem que eles comiam outras coisas e ficavam mais saudáveis?

Uma fornalha ardente

(Daniel 3)

Um dia, o rei de Babilônia ordenou a todos que adorassem uma estátua de ouro. Mas os três amigos de Daniel – Sadraque, Mesaque e Abede-Nego – disseram que não a adorariam. Eles adoravam somente a Deus! O rei ficou muito irado e os lançou na fornalha ardente.

Você tem medo de fogo?
Você arriscaria sua vida por Deus?

Mas Deus mandou uma pessoa para dentro da fornalha para salvá-los. E os três amigos não se queimaram. Andaram dentro da fornalha sem sofrer nenhuma queimadura! O rei mandou tirá-los da fornalha. Deus salvou esses homens porque confiaram nele!

Você já viu como Deus faz milagres incríveis?

Proibido orar

(Daniel 6.1-10)

Daniel tinha o costume de orar três vezes por dia. Mas havia uns homens que queriam matar Daniel. E escreveram uma lei que proibia as pessoas de orar a outros deuses a não ser o rei, e quem desobedecesse seria lançado na cova dos leões.

Mas Daniel não fez caso da lei.
E continuou orando três vezes ao dia e com as janelas abertas, porque sabia que Deus era muito mais poderoso que aqueles que queriam lhe fazer mal.

Por que Daniel continuou orando se estava proibido?

Uns leões com fome

(Daniel 6.11-28)

E, por não obedecer a lei, o rei teve de lançá-lo na cova dos leões.
E os animais estavam famintos e correram para comer Daniel...

Você teria medo se fosse lançado no meio de leões famintos?

Mas, quando iam devorar Daniel, apareceu um anjo enviado por Deus e ficou diante dos leões. E os leões não fizeram nada a Daniel. Assim, Deus livrou Daniel dessas terríveis feras!

Você percebe que temos um Deus muito poderoso que nos protege de tudo?

Jonas desobedece

(Jonas 1.1-3)

Deus ordenou a Jonas que fosse pregar em uma grande cidade chamada Nínive. Jonas não queria ir para lá, já que as pessoas que viviam naquela cidade eram muito más. Então, Jonas fugiu e foi em direção a outra cidade, que se chamava Társis.

Você acha que Jonas tinha razão de não querer ir para Nínive?

Uma grande tempestade

(Jonas 1.4-6)

Jonas tinha desobedecido a Deus. E enquanto navegava em um barco em direção a Társis, Deus mandou uma grande tempestade.

Você gosta de tempestades?

Os marinheiros se assustaram muito porque a tempestade era muito forte. Jonas contou que havia desobedecido a Deus e que, por isso, tinha vindo aquela tempestade.

Jonas percebeu que havia errado. Você reconhece quando erra ou quando algo não está bem?

Caindo na água!
(Jonas 1.7-16)
Então os marinheiros decidiram lançá-lo ao mar.

Quando Jonas caiu na água, a tempestade foi desaparecendo. Mas o que Jonas faria no meio do mar? Ele se afogaria!

Você já imaginou ficar no meio do mar sozinho? Que medo!

O grande peixe
(Jonas 1.17)

E, quando Jonas estava afundando, veio um grande peixe e o engoliu!

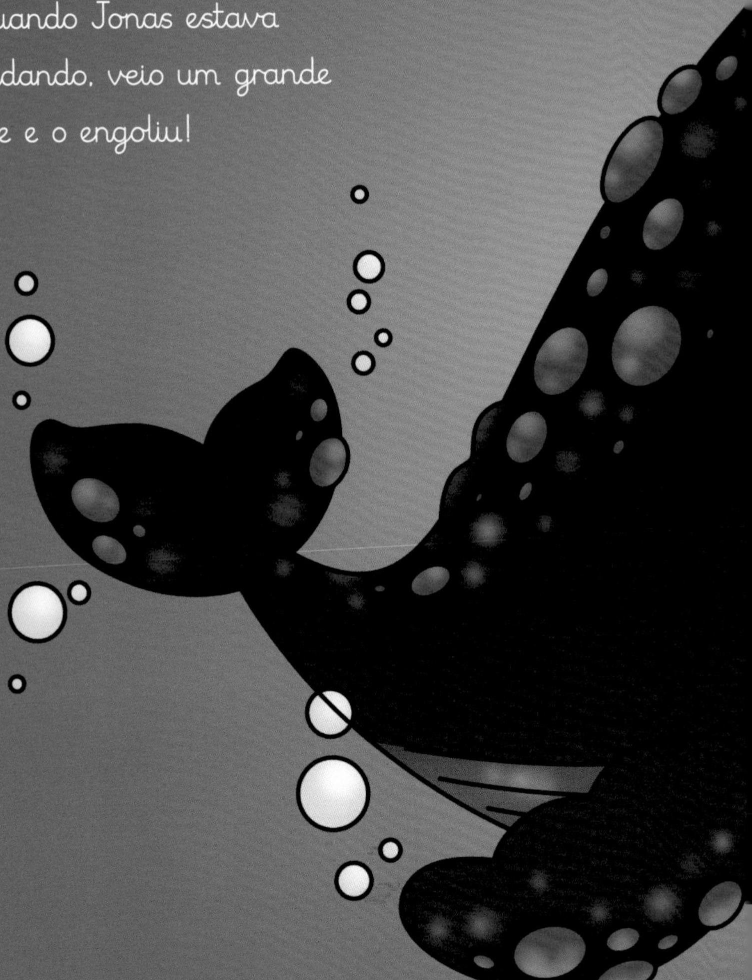

O que você acha que aconteceu com Jonas?

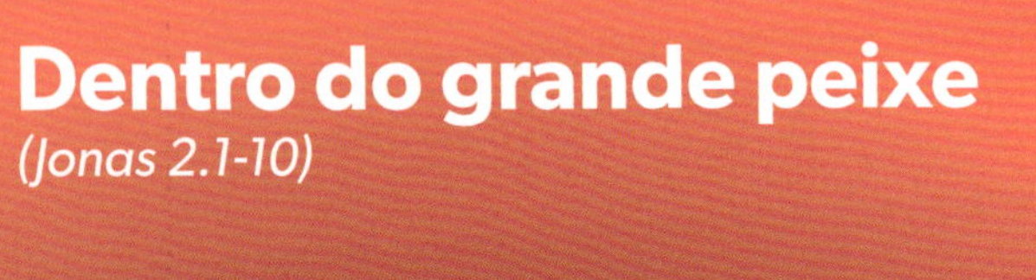

Dentro do grande peixe

(Jonas 2.1-10)

Dentro do peixe, Jonas orou a Deus, pedindo perdão e dizendo que, se Deus o livrasse da morte, Jonas faria o que ele havia ordenado.

Quando você está com algum problema, você ora a Deus pedindo ajuda?

E passados três dias e três noites, o peixe vomitou Jonas numa praia.

Você sabia que Deus sempre responde nossas orações, ainda que às vezes não percebamos?

Jonas prega em Nínive

(Jonas 3)

E Jonas foi para Nínive como Deus havia ordenado. Ele disse aos seus habitantes que deixassem de fazer o mal e seguissem a Deus. E muitos o fizeram!

Se Deus manda fazer algo, você deve obedecer sempre. Ele tem grandes planos para você!

Novo
Testamento

O Novo Testamento

é a segunda parte da Bíblia.

Você sabe sobre o que essa parte fala?

A história do homem mais incrível que você pode conhecer: Jesus de Nazaré.

Ao ler sua história, você conhecerá as aventuras que viveu, os milagres que fez, tudo o que ele ensinou e o muito que ele sofreu para salvar a todos nós.

E sabe o que é melhor?

Jesus quer ser seu amigo hoje, e ajudar você a cada dia. Você quer saber como?

Então, vá para a próxima página e comece a ler sua maravilhosa história.

Que surpresa, Maria!
(Lucas 1.26-38)
182

Um anjo apareceu a uma jovem de Nazaré chamada Maria. E disse que ela teria um bebê muito especial: Jesus, o Filho de Deus.

O que você faria se um anjo aparecesse a você? Você ficaria assustado?

Aqui não há lugar!

(Lucas 2.6-7)

Maria estava quase tendo o bebê. Ela e seu marido, José, estavam em Belém, mas não havia lugar para eles ficarem. O que fariam? Onde Maria teria o bebê?

Onde você acha que nasceu o Filho de Deus?

Jesus nasce em um presépio

(Lucas 2)

Maria e José foram a um presépio rodeado de animais. E ali nasceu Jesus, o Filho de Deus.

Por que você acha que Deus queria que Jesus nascesse em um presépio?

188

Pastores e anjos

(Lucas 2.8-14)

Havia perto de Belém uns pastores.
E uns anjos apareceram
e cantaram dizendo que o Messias,
o Salvador do mundo, havia nascido.

Quem foram os primeiros a saber que o Salvador havia nascido?

Os pastores adoram o bebê

(Lucas 2.15-20)

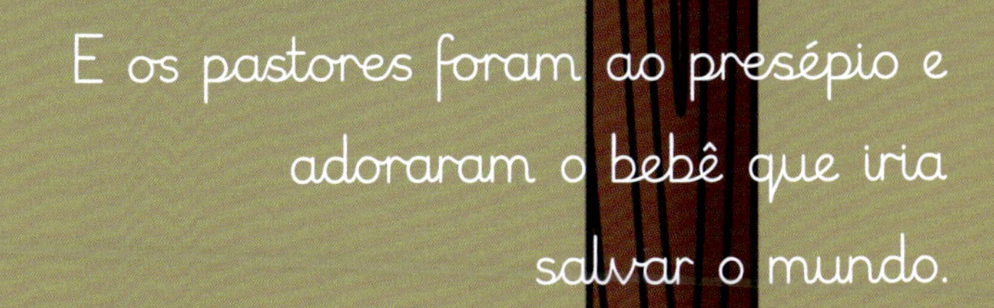

E os pastores foram ao presépio e adoraram o bebê que iria salvar o mundo.

O que você faria ao ver o bebê no presépio?

Uns sábios do Oriente

(Mateus 2.1-12)

Depois de um tempo, uns sábios
do Oriente visitaram Jesus
e trouxeram presentes:
ouro, incenso e mirra.

Você também gosta de receber presentes?

O batismo de Jesus

(Mateus 3.13-17)

194

Quando Jesus ficou mais velho, foi batizado no rio Jordão por João Batista. No seu batismo o Espírito de Deus desceu em forma de pomba e se ouviu a voz de Deus que dizia: "Este é o meu filho e estou muito feliz".

Você sabia que, se cremos em Jesus, devemos ser batizados?

Jesus é tentado

(Mateus 4.1-4)

O diabo tentou Jesus no deserto, mas Jesus não caiu em nenhuma de suas armadilhas.

Uma tentação é quando você quer algo que é ruim. Alguma vez já aconteceu com você?

Os doze discípulos

(Lucas 6.12-16)

Jesus tinha muito trabalho a fazer. Por isso, escolheu doze seguidores para que o ajudassem e os chamou discípulos ou apóstolos. Estes são os doze que Jesus escolheu:

Mateus

Judas, filho de Tiago

Bartolomeu

Você também gostaria de ajudar Jesus?
Você pode! É só fazer o que ele pede.

Uma festa de casamento sem vinho?

(João 2.1-12)

Jesus foi a uma festa. E o vinho da festa acabou! Nessa época não ter vinho na festa era algo muito ruim! Mas Jesus fez um milagre e transformou água em vinho. E todos ficaram muito felizes!

Você gosta de festas? Jesus também. Por isso, ele fez esse milagre.

O Sermão da Montanha

(Mateus 5-7)

Jesus ensinava muitas coisas sobre Deus e sobre como devemos nos comportar. Uma vez, muitas pessoas o seguiram até uma montanha para escutar seus ensinamentos. Essas lições são conhecidas como o Sermão da Montanha.

Você quer conhecer os ensinamentos de Jesus? Basta ler a Bíblia!

Jesus cura uma criança

(João 4.46-51)

Um dia um centurião do exército romano veio até Jesus e disse que um de seus filhos estava muito doente e que só Jesus podia curá-lo. E Jesus, dizendo uma palavra só, o curou!

Você sabia que Jesus tem poder para curar qualquer doença?

Jesus ressuscita a filha de Jairo

(Marcos 5.22-43)

Num outro dia, um homem muito bom que se chamava Jairo aproximou-se de Jesus muito triste. Sua filha acabara de morrer. E você sabe o que Jesus fez? Foi à casa dele, pegou a menina pela mão e ela ressuscitou!

Você sabia que Jesus sempre escuta o que pedimos? Ainda que sua resposta seja "não", ele está atento a tudo o que dizemos.

Uns bons amigos

(Lucas 5.17-26)

Jesus curava muitos doentes. Uma vez, uns homens desceram um paralítico pelo telhado de uma casa para que Jesus o curasse. E Jesus o curou!

O que você faria por um amigo?

O milagre dos pães e dos peixes

(João 6.1-13)

Muitas pessoas seguiam Jesus. Em uma ocasião, muitos dos que o haviam acompanhado estavam com muita fome, e não havia o que dar de comer a eles. Então, Jesus multiplicou dois peixes e cinco pães que um menino havia levado. E deu de comer para mais de cinco mil pessoas!

Você sabia que Jesus conhece todas as nossas necessidades?

Jesus anda sobre o mar

(Marcos 6.45-53)

Mais tarde, os discípulos subiram em um barco e uma grande tempestade os surpreendeu. Estavam muito assustados. Mas Jesus veio caminhando sobre as águas! Quando os discípulos o viram, tiveram medo, porque pensavam que era um fantasma. Mas Jesus diz: "Não tenham medo! Sou eu!"

Já pensou se você pudesse andar sobre as águas do mar? Jesus fez isso!

Jesus e as crianças

(Lucas 18.15-17)

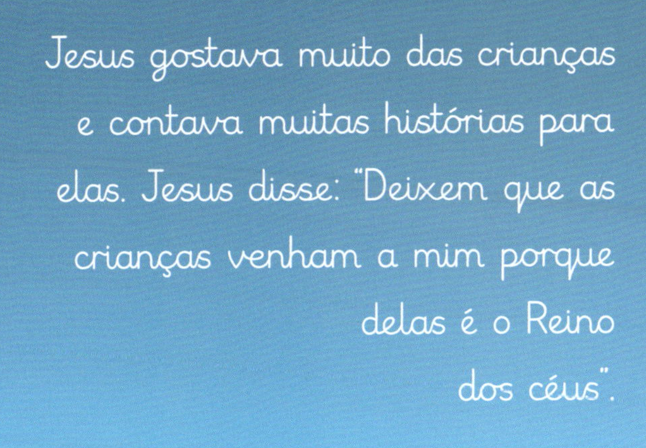

Jesus gostava muito das crianças e contava muitas histórias para elas. Jesus disse: "Deixem que as crianças venham a mim porque delas é o Reino dos céus".

Você sabia que Jesus quer ser seu amigo?
Ele ama muito as crianças!

Um homem muito baixinho

(Lucas 19.1-10)

Zaqueu era um arrecadador de impostos que havia roubado muitas pessoas. Era muito baixinho e subiu em uma árvore para tentar ver Jesus. Quando Jesus o viu, mandou que descesse pois iria comer em sua casa. Jesus impactou tanto a vida de Zaqueu que ele devolveu o dinheiro a todos de quem ele havia roubado!

O que você teria feito para ver Jesus?

Jesus cura um cego!

(Marcos 10.46-52)

Jesus encontrou um homem cego que se chamava Bartimeu. E você sabe o que Jesus fez? Ele o curou e o cego conseguiu ver tudo que estava ao seu redor!

O que você acha que Bartimeu sentiu quando começou a ver?

A ovelha perdida

(Lucas 15.3-7)

Jesus contou uma história de um pastor que deixou suas 99 ovelhas para ir buscar uma ovelha que estava perdida. Jesus é o bom pastor que se importa tanto com você a ponto de deixar tudo para buscar você.

Você sabia que você é muito importante para Jesus?

Um filho desperdiça o dinheiro de seu pai

(Lucas 15.11-13)

Jesus contou outra história. Um jovem pediu ao seu pai a parte dele da herança.

Você acha que o pai ficou contente com esse pedido?

E o filho foi logo embora de casa e gastou todo o dinheiro com coisas bobas e com amigos que só gostavam dele enquanto ele era rico.

Você sabia que os amigos verdadeiros vão gostar de você pelo que você é, não pelo que você tem?

O pai espera seu filho

(Lucas 15.14-32)

Mas o dinheiro que herdou do pai terminou, e ele ficou totalmente só. Como não tinha mais dinheiro, teve que trabalhar cuidando de porcos. Esse era o pior trabalho de todos!

Você sabia que para os judeus o porco é um animal ruim?

Então, ele decidiu voltar para a casa do pai. Ele pensava que seu pai estaria muito bravo com ele, mas não foi assim. O pai estava esperando por ele e, ao vê-lo chegar, correu para abraçá-lo e preparou uma grande festa!

Você sabia que Deus é como o pai dessa história que sempre está esperando para receber você de braços abertos?

Jesus ressuscita o seu amigo

(João 11.1-44)

Jesus tinha um amigo chamado Lázaro. Lázaro ficou doente e morreu. Jesus gostava tanto dele que chorou quando soube que ele havia morrido. Mas Jesus foi até a sepultura e o ressuscitou dos mortos!

Você chora quando fica triste? Jesus chorou também!

Dez doentes pedem ajuda a Jesus

(Lucas 17.11-14)

Jesus fazia muitos milagres e curava muitas pessoas de suas doenças. Uma vez, dez pessoas que tinham uma doença muito ruim chamada lepra foram pedir que Jesus os curasse.

Você sabia que você sempre pode pedir ajuda a Jesus, aconteça o que acontecer?

Um homem agradecido

(Lucas 17.15-19)

E Jesus curou todos os leprosos, mas só um voltou para agradecer Jesus por tê-lo curado. Os outros não voltaram! Foram muito ingratos!

Jesus dá tudo a você... Você agradece todos os dias pelo que ele faz por você?

Uns homens falsos

(Lucas 11.37-53)

Na época de Jesus havia umas pessoas que só se preocupavam em aparentar serem boas. Mas eram muito falsas! Eram os fariseus. Jesus discutiu com eles em muitas ocasiões porque eles ensinavam coisas e depois não as praticavam no coração.

Você sabia que Jesus gosta que sempre sejamos honestos?

Jesus entra em Jerusalém como um rei

(Lucas 19.36-38)

Durante a festa da páscoa, Jesus entrou em Jerusalém montado em um jumentinho. As pessoas o saudavam com galhos de palmas e jogavam no chão os seus mantos para que ele passasse. E gritavam: "Bendito o Rei que vem da parte de Deus".

Por que você acha que Jesus escolheu um jumentinho para entrar em Jerusalém?

Jesus lava os pés dos seus discípulos

(João 13.1-7)

Você ajuda e serve aos seus amigos? O que você faz?

Jesus ensinou aos seus discípulos que temos de ajudar uns aos outros. Como exemplo, ele lavou os pés de cada um deles, para ensinar que todos devemos ajudar e que ninguém é mais importante do que o outro.

A última ceia de Jesus

(Mateus 26.26-29; 1Coríntios 11.23-25)

Uma noite, Jesus se reuniu com os seus doze discípulos e partiu um pão e deu um pedaço a cada um. Logo depois, compartilhou também o vinho, porque Jesus sabia que em breve morreria.

Por que você acha que Jesus quer que lembremos sempre dele?

Jesus pede ajuda

(Marcos 14.32-42)

Depois da ceia, Jesus e três dos seus discípulos foram a um jardim que se chamava Getsêmani. Jesus começou a orar a Deus, para pedir forças por conta de tudo que teria de enfrentar em breve. Os outros três discípulos, em vez de ficarem orando também, começaram a dormir.

Quando você está muito triste, você busca a ajuda de Deus?

Judas trai Jesus

(Mateus 26.45-56)

Depois de orar, chegaram muitas pessoas com tochas e paus. Na frente deles ia Judas, um dos discípulos de Jesus. Ele deu um beijo em Jesus, pois era o sinal para saberem quem era Jesus e, assim, prendê-lo! Judas havia traído Jesus, porque tinham dado muito dinheiro para ele fazer isso!

Como você acha que Jesus se sentiu ao ser traído por um amigo?

A injusta decisão do povo

(Lucas 22.52—23.25)

Prenderam Jesus e o levaram à casa do governador romano chamado Pilatos. Ainda que Pilatos acreditasse que Jesus não tinha feito nada de errado, deixou o povo escolher se queriam ou não castigar Jesus.
E os homens do povo disseram que queriam que Jesus morresse numa cruz!

Por que você acha que o povo queria que Jesus morresse se ele era inocente?

Jesus crucificado!

(Mateus 27.27-56)

Colocaram na cabeça de Jesus uma coroa de espinhos e zombavam dele. Finalmente o cravaram numa cruz. Ao seu lado colocaram dois ladrões. E Jesus finalmente, sofrendo muito, morreu nessa horrível cruz.

E agora? Jesus morreu...

O túmulo de Jesus

(Lucas 23.50-56)

Um homem muito rico chamado José de Arimateia pediu para sepultar Jesus em um túmulo vazio que ele tinha.

Envolvendo seu corpo em um lençol colocaram-no no sepulcro. Todos acreditavam que Jesus havia morrido para sempre. E seus amigos estavam muito abalados e tristes.

Você sabia que, na frente do sepulcro de Jesus, puseram uma pedra muito grande?

Jesus ressuscita!

(João 20.1-10)

Preste muita atenção, porque vou contar uma coisa muito importante: ao terceiro dia que estava morto, Jesus ressuscitou; voltou da morte!

Sim, como você ouviu:

Jesus venceu a morte!

Por que você acha que é tão importante que Jesus tenha ressuscitado?

Jesus está vivo!

(Mateus 28.1-10)

No domingo, duas mulheres que se chamavam Maria, foram visitar o túmulo de Jesus.

E que grande surpresa! O túmulo estava vazio e um anjo apareceu e disse que Jesus havia ressuscitado. Mais tarde, Jesus apareceu no caminho e elas ficaram muito felizes. Jesus estava vivo!

O que você teria feito se tivesse encontrado Jesus ressuscitado? Você teria acreditado?

Jesus aparece para os seus discípulos

(Lucas 24.33-49)

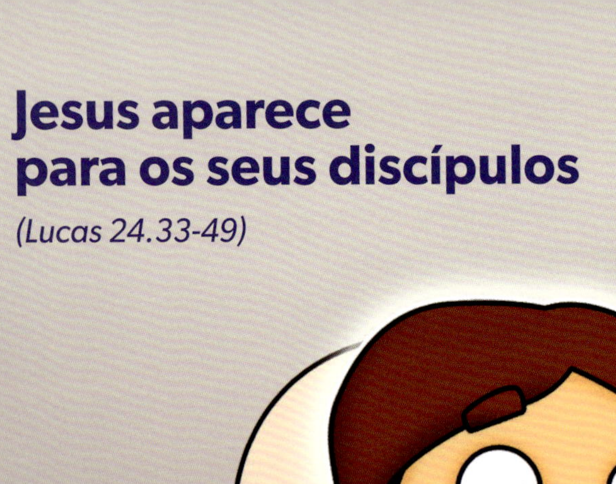

Numa noite em que os discípulos estavam reunidos, Jesus apareceu diante deles. E provou que era ele mesmo mostrando as feridas das suas mãos e dos seus pés. Era verdade então o que estavam falando! Jesus havia se levantado da morte!

Você lembra qual dos discípulos precisou tocar as feridas de Jesus para crer que ele havia ressuscitado?

Jesus retorna ao céu

(Lucas 24.50-53)

Depois de aparecer aos seus discípulos, Jesus disse que devia voltar para o seu Pai. E os discípulos, admirados, viram ele ir embora em direção ao céu. Mas Jesus disse para não ficarem tristes, porque muito em breve receberiam o Espírito Santo.

Onde está Jesus agora?

Vem, Espírito Santo!

(Atos 2.1-4)

Pouco depois de Jesus voltar ao céu, seus amigos estavam reunidos em uma casa. E ouviram algo como um forte vento e depois apareceu algo como línguas de fogo sobre as suas cabeças. Era o Espírito de Deus que Jesus havia prometido!

Você sabia que a partir desse momento os discípulos começaram a fazer coisas miraculosas?

Todos entendem o que dizem

(Atos 2.5-42)

E todos começaram a falar línguas diferentes. Havia em Jerusalém pessoas de muitas partes do mundo e que falavam idiomas diferentes.

260

Mas os discípulos começaram a pregar de tal forma que todos os que ouviam, ainda que falassem outro idioma, conseguiram entender. Que grande milagre!

Você gostaria de falar em um idioma que todo o mundo pudesse entender?

Os primeiros cristãos

(Atos 4.32-37)

Muitas pessoas começaram a crer em Jesus como o Filho de Deus e o Salvador do mundo. Então, começaram a se reunir nas casas e compartilhavam tudo.

Você compartilha o que tem?

Estêvão assassinado

(Atos 7)

Um dos que creram em Jesus, chamado Estêvão, era um homem muito bom. Mas muitas pessoas não gostavam dos cristãos e decidiram matar Estêvão jogando pedras nele. Estêvão morreu, mas antes de morrer viu Jesus esperando por ele no céu.

Você sabia que, mesmo que nos aconteçam coisas ruins, Deus sempre está conosco?

Jesus apareceu a Saulo

(Atos 9.1-31)

Um dos homens que mais perseguia os cristãos se chamava Saulo. Um dia Jesus apareceu a ele em um caminho e disse-lhe que não fizesse mais isso, que ele era o Salvador e Saulo que não devia persegui-lo. Saulo entendeu, então, que Jesus era o Filho de Deus. Ele se arrependeu do que havia feito e decidiu servir a Jesus com todas as suas forças.

Por que você acha que Saulo perseguia os cristãos?

As viagens de Paulo

(Atos 13—28)

Depois de sua conversão, Saulo teve seu nome mudado para Paulo e fez muitas viagens pregando as boas notícias de Jesus.

Paulo sofreu muitas aventuras: naufragou, tentaram matá-lo várias vezes, prenderam-no em uma prisão... mas muitas pessoas souberam da grande salvação em Jesus por meio das suas palavras.

Você teria gostado de viajar com Paulo, falando de Jesus a todo mundo?

As cartas de Paulo

Paulo também escreveu muitas cartas, que explicam como é Deus, o que Jesus fez por nós e como devemos nos comportar por termos crido nele. Você pode ler essas cartas na Bíblia, o livro mais maravilhoso que já foi escrito.

Você se lembra do nome de algumas das cartas de Paulo?

conclusão

Você gostou desta aventura através do livro que Deus escreveu para nós?

Você precisa saber que todas as histórias que leu aconteceram de verdade e que, em cada uma delas, há grandes ensinamentos para sua vida.

Deus quer que você leia a Bíblia todos os dias, pois é assim que ele fala com você. Se você ainda não sabe ler, peça para alguém mais velho contar suas histórias. Além de se divertir, você vai aprender mais coisas sobre Deus, porque ele quer que você o conheça!

Também é importante orar todos os dias. Agradeça a Deus por tudo o que ele dá, e peça tudo de que precisar. Deus gosta de ouvir você! E gosta muito de ouvir você falar sobre si!

Na Bíblia há muitas histórias maravilhosas. E você sabe por que Deus escreveu todas essas histórias? Para que soubéssemos que ele nos ama e que, ainda que nós nos comportemos de forma errada, ele mandou o seu Filho para morrer em nosso lugar.

Ele foi castigado por todo o mal que nós fizemos. Mas como você já viu, ele não ficou no túmulo: ele ressuscitou!

Esta mensagem é a mais importante da Bíblia. Por causa de Jesus todas as outras histórias foram escritas. É uma grande história de amor que Deus escreveu para você e para todas as crianças e adultos do mundo.

Esperamos que você tenha gostado de ler e ouvir as histórias da Bíblia, e que nunca deixe de ler a maravilhosa história de Deus para os homens.

O plano de Deus
para todos

No princípio, Deus criou Adão e Eva para que pudessem viver sem nenhum tipo de problema no jardim do Éden, mas Adão e Eva decidiram não obedecer a Deus e comeram do fruto proibido.

Por isso Deus, que é justo, teve de expulsá-los do jardim e desde então eles ficaram separados de Deus. A partir desse momento, o homem não parou de fazer coisas más, que o afastava ainda mais de Deus.

Todos nós
fazemos coisas más.
E por isso Deus, que é bom e justo,
poderia nos castigar.

Mas Deus enviou
o seu filho Jesus ao mundo...

para morrer em uma cruz e pagar
por todo o mal que fizemos.
Ele foi castigado no seu lugar.

Você imagina que um amigo seu
se deixaria castigar
por uma coisa que você fez?

Mas Jesus não havia feito nada errado, e ao terceiro dia ele ressuscitou e agora está no céu com o seu Pai.

Deus quer que você saiba, assim como todos, que você faz coisas más

Ore a Deus e peça perdão a ele por todas essas coisas que não deveria fazer e agradeça porque Jesus foi castigado em seu lugar na cruz e liberta você de todo o castigo que você mereceria.

Jesus é seu amigo

e já demonstrou isso ao morrer por você.

Basta que você creia!